이야기: 나의 기억들

정재운 말랑주먹 보뽀리 최진호 이영진 맺음

엮은이 정재운

이야기: 나의 기억들

발 행 | 2024년 3월 25일
저 자 | 정재운 말랑주먹 뽀뽀리 최진호 이영진 맹음
엮은이 | 정재운
펴낸이 | 한건희
펴낸곳 | 주식회사 부크크
출판사등록 | 2014.07.15.(제2014-16호)
주 소 | 서울특별시 금천구 가산디지털1로 119 SK트윈타워 A동 305호
전 화 | 1670-8316
이메일 | info@bookk.co.kr

ISBN | 979-11-410-7786-0

이야기: 나의 기억들

정재운 말랑주먹 뽀뽀리 최진호 이영진 맺음

엮은이 정재운

BOOKK

서문

이 책은 "우리의 이야기로 도움이 필요한 곳에 새로운 이야기를 선물하자!"라는 슬로건으로 시작된 〈이야기 프로젝트〉의 세 번째 작품입니다.

2024년의 3월, 이야기 프로젝트의 세 번째 작품을 통해 소중한 분들과 삶의 기억들을 나눠보고 싶었습니다. 각자의 위치에서, 서로 다른 모양으로 살아온 우리 작가님들의 지나온 기억들이 궁금하지 않으신가요? 바쁜 일상 속에서 잠시 숨을 돌려, 함께 그 기억 속으로 여행을 떠나봅시다.

이야기 프로젝트를 위해 소중한 시간을 내어주신 독자 여러분들께, 부디 제 소중한 인연들의 글이 멋진 선물이 되기를 간절히 바랍니다.

2024년 3월,
엮은이 정재운

차례 _

첫 번째 작가, 정재운

Instagram: @writernreader_j

순간을 영원으로 간직하고자 글을 씁니다.

풋풋한 사랑의 기억과 일상의 기억을 영원으로 간직하고 싶었습니다. 그런 마음으로 사랑하는 사람과의 기억을 영원으로 담고자 애쓰고, 일상에서 가볍게 지나칠 수 있는 것들을 영원으로 담고자 애썼습니다. 부디 이 애씀이 누군가에게 소소한 위로와 작은 미소를 건넬 수 있기를, 그런 기적이 일어나기를 꿈꿔봅니다.

짓밟힌 기억

　최근에 장례식이 많았다. 30대 초반인 내가 아직 어려서일까? 지금까지 이렇게 많은 장례식이 한 시기에 몰려있던 적은 없었고, 고인이 되신 분들의 나이대가 이렇게 다양했던 적도 없었던 것 같다. 그만큼 마음이 꽤 무거운 시기를 보냈다. 마지막으로 갔던 장례식은 나에게 많은 영향을 주셨던 가까운 할머니의 장례식이었다. 장례식장에서 눈물을 흘리던 나는 문득 우리 할머니에 대한 기억을 꺼내보고 싶다는 생각이 들었다. 정작 우리 할머니가 돌아가셨을 때에는 이렇게 눈물을 흘렸던 기억이 없어서, 왠지 모를 죄책감 때문에 그랬던 건 아닐까?

사실 나는 우리 할머니에 대한 기억이 거의 없다. 할머니뿐만 아니라 할아버지에 대한 기억도. 워낙 늦둥이로 태어났기 때문에, 그분들은 내 가슴속 깊은 곳 어딘가에 간직되시기에 시간이 너무 부족하셨던 것이다.

대게 사람은 3살 이전에 일어난 일들을 기억하지 못하고, 4~7살의 일들은 단편적이고 부정확하게나마 드문드문 기억할 수 있다고 하는데, 외할머니를 제외한 모든 분들은 내가 3살이 되기 전에 돌아가셨다. 그래서 유일하게 꺼내놓을 수 있는 기억이라고는 외할머니에 대한 것이 전부였다. 그런데 그마저도 너무 얕은 것이 현실이었다. 엄마는 정서상 좋지 못할 까봐 나를 할머니의 장례식에 데려가지도 않으셨으니, 나는 할머니의 죽음 앞에서 울 기회도 없었다.

아무튼 이런 이유들로 인해 이날 나는 할머니에 대한 기억을 꺼낸다기보다는 어떻게든 쥐어 짜내보려 애를 썼다. 하지만 딱히 생각나는 건 없었다. 인간의 기억력이 야속했다.

집으로 돌아와서는 할머니에 대한 기억의 조각을 조금이라도 더 찾아내고 싶어서 사진첩들을 찾아보았다.

우리 엄마와 쏙 빼닮은 우리 할머니의 사진을.

엄마의 도움으로 외할머니의 사진을 찾았을 때, 나는 당황하고 말았다. 어린 시절의 기억은 대부분 왜곡된다고 하던데, 할머니의 외모에 대한 나의 기억도 왜곡되어 있었나보다. 할머니와 엄마는 엄청나게 닮았다고 지금까지 굳게 믿어왔는데, 아니 확신했는데 이게 도대체 무슨 일인가? 지금 70대인 엄마와 사진 속 70대였던 할머니의 모습은 거의 겹쳐 보이지 않았다. 엄마는 외탁이 아닌 친탁을 했던 것이다.

약간의 충격을 떨쳐내고, 나는 침대에 누워 천장을 멍하니 바라보며 할머니와 관련된 기억을 하나라도 찾아내려 노력했다. 애를 썼다는 표현이 더 정확하겠지만. 얼마나 시간이 지났을까? 딱 한 가지 기억이 선명하게 떠올랐다.

초등학교 1학년 때쯤 있었던 일이다. 나는 할머니의 손을 잡고 집 앞 문방구에 가서 당시 유행하던 미니카를 샀다. 오랜만에 딸집을 방문한 할머니는 자신의 딸을 쏙 빼닮은 어린 손자 녀석에게 선물을 사주고 싶으셨던 거다. 그 당시의 어린 나는, 늦둥이로 태어나서 그런지 애늙은이 같았고, 무언가를 사달라고 떼쓰는 일은 당최 하지 않는 점잖은 꼬마 신사였다. 그래서 친구들이 다 미니카를 가지고 놀 때, 내심 부러워하기만 하고 엄마한테 갖고 싶다고 말은 하지 않았다. 점잖은 꼬마 신사답게. 할머니는 이런 내 마음을 아셨을까? 미니카를 사주신 할머니는 내게 기적과도 같았다. 이날부터 나는 매일 소중한 미니카를 손에 쥐고, 문방구 앞 미니카 트랙으로 나갔다.

며칠을 그렇게 놀았을까? 나는 할머니의 사랑이 담긴 미니카가 디자인은 너무 예쁘지만, 내부가 부실하다는 사실을 깨닫게 되었다. 내 미니카는 힘이 부족해서 트랙의 360도 회전 코스를 돌지 못했다. 알아보니 당시에 금 모터, 은 모터라고 불리던 좋은 모터를 사서 끼워주어야만 360도 회전 코스를 멋지게 돌 수 있다는 것이다. 내 친구들의 미니카는 모두 금 모터와 은 모터로 화려하게 내실을 갖춘 상태였고, 내 미니카만 당시 동 모터(정확히는 똥 모터)라 불리는 기본 구성 모터를 장착하고 있었다. 그러니 내 미니카만 매번 기가 죽었던 것이다. 하지만 나는 점잖은 꼬마 신사이기 때문에, 엄마한테 모터를 사달라고 조르지 않았다. 그저 할머니처럼 누군가가 또 나타나서 좋은 모터를 사주지는 않을까 상상만 했을 뿐.

그러던 어느 날 기적이 일어났다. 문방구 앞 트랙에서 내부가 부실한 나의 미니카를 지켜보고 있던 어떤 형이 말을 건넸다.

"형이 모터 바꿔줄까?"

"정말?"

"우리 집이 저기 보이는 저 아파트인데, 형이 네 미니카를 가지고 가서 금 모터로 바꿔서 가져다줄게."

나는 몇 번이나 그 형한테 고맙다는 말을 하며 미니카를 맡겼다. 그 형은 나의 미니카를 분리하여 뚜껑은 내게 가지고 있으라며 주었고, 모터가 박혀있는 몸통만 가지고 자신의 집을 향해 걸어갔다. 나보다 다섯 살은 많아 보이는 형이었는데, 그 형의 뒷모습이 어쩜 그렇게 든든해 보이던지. 슈퍼히어로가 따로 없었다. 그리고 나는 이 형을 해가 질 때까지 기다렸다. 문방구 앞에서 펑펑 울면서. 이 형은 간단한 사기를 통해, 자기보다 한참 어린 점잖은 꼬마 신사를 어리숙한 꼬마 신사로 만들어버렸다. 나는 그렇게 할머니의 사랑이 담긴 미니카를 며칠 만에 잃었고, 집으로 돌아가서는 엄마의 품에 안겨 또 한 번 울었다.

참 순수했던 어린 시절의 기억일 뿐인데, 괜히 코끝이 찡해지는 이 느낌은 뭘까? 할머니에 대한 기억이 이게 전부인데, 그 기억마저도 순수함이 짓밟힌 이야기로 물들인 그 형이 매우 야속하게 느껴져서는 아닐까? 언제라도 좋으니, 잊고 있던 할머니에 대한 다른 기억들이 불현 듯 나를 찾아와 주었으면 좋겠다. 내가 기억을 찾아서 떠나는 것은 아무래도 쉽지 않을 것 같으니까. 우리 할머니는 어떤 분이셨을까? 잘은 모르지만, 나에게 영향을 많은 영향을 주고 돌아가신 이 할머니처럼 따뜻한 분이셨겠지? 아마도.

오디오를 채우는 전문가

　얼마 전, 정말 오랜만에 만난 친구들과 함께 그동안 서로에게 알리지 못한 각자의 이야기들을 한 움큼씩 기분 좋게 꺼내놓으려 카페에 갔다. 불과 얼마 전까지만 해도 대학 진학과 같은 문제를 놓고 고민하던 우리였던 것 같은데, 정신을 차려보니 우리는 어언간 사회생활에 찌든 30대들이 되어 있었다. 뭐 그렇다고 과거가 그립다거나 서글프지는 않았다. 저마다 다른 인생 길 위에서 어엿한 어른이 된 모습들이 꽤나 좋았으니까.

　그런데 한 친구가 못 본 사이에 말이 참 늘어있었다. 원래 내성적인 느낌과 과묵한 느낌을 팔레트 위에서 오

묘하게 섞어 뿜어내던 친구였는데, 꽤나 혹독했을 사회
생활이 이 친구의 말재주를 뛰어나게 만들어버린 모양
이었다. 이 친구 덕분에 우리의 모임 시간에는 오디오
가 비는 순간 따위는 찾아오지 않았다. 그런데 친구가
신나게 이야기보따리를 풀며 대화를 주도하고 있는 모
습을 바라보고 있다 보니, 문득 나의 과거가 오버랩 되
어 보이는 것만 같았다.

　나는 어린 시절 말을 잘 못했다. 내가 초등학교를 다
니던 때에는 지금과 달리 토요일에도 학교를 가야 했는
데, 당시에 검도선수를 꿈꾸고 있던 나는 종종 토요일
이면 시합이 잡혀 조퇴를 해야만 했다. 시합에 출전하
는 일은 검도라는 운동을 사랑하는 나에게 늘 설렘을
주는 것이었는데, 동시에 공포를 주는 것이기도 했다.
어린 시절의 나는 시합이 있어서 학교를 조퇴해야 한다
는 말을 선생님 앞에서 하는 것이 도저히 불가능한 사
람이었기 때문이다. 몇 번이나 도전을 해보았지만 늘
선생님 앞에만 서면 말이 아닌 눈물이 나왔다. 나는 그
렇게 매년 새롭게 만난 선생님들을 당황시키고 또 당황
시켰다. 자신의 반 학생이 경직된 얼굴로 갑자기 자신
에게 다가와서 쭈뼛거리다 울어버리는데 어떻게 당황을
안 하겠는가. 당황도 당황인데, 지금 생각해보니 선생

님들 입장에서는 무섭기도 했을 것 같다. 아무튼 나의 눈물이 내 의지와 상관없이 줄줄 흘러내리고 있을 때면, 선생님은 엄마에게 전화를 걸어 자초지종을 이야기했다. 그러면 엄마는 나의 대변인이 되어 검도대회에 나가야 해서 조퇴를 해야 한다고 매번 친절히 이야기해 주었다. 엄마는 이런 어린 시절의 나를 보며 평생 말도 잘 못하는 바보로 클까 봐 걱정이 산을 이루었다고 한다.

결국 나는 자타공인 말을 잘 못하는 사람이었다는 것이다. 다 큰 후에 나를 만난 사람들은 이 이야기를 믿어주지 않지만, 그렇다고 해서 내가 말을 잘 못했다는 사실이 변하는 것은 아니다. 그런데 다행스럽게도 어린 시절의 나는 평생을 그렇게 살고 싶지는 않았던 모양이다. 초등학교 5학년쯤부터였던 것 같은데, 나는 반에서 말을 잘하는 친구를 보고는 나도 그렇게 되고 싶다는 생각을 품었다. 물론 그렇게 생각한다고 바뀌는 건 전혀 없었지만.

변화는 중학생 때부터 찾아왔다. 원래 나는 검도부가 있는 중학교에 가고 싶었다. 그런데 중학교 진학을 결정해야 하는 초등학교 6학년 당시의 나는 성장이 너무 느렸던 탓에 운동부라는 타이틀을 입기에는 너무 왜소한 아이였다. 엄마는 그런 내게 마음을 급히 먹지 말라고, 충분히 키가 큰 후에 검도부가 있는 고등학교에 가도 된다며 나를 안심시켰고, 우선적으로 일반 중학교에 입학하게 되었다.

그런데 그 학교에는 마술 동아리가 있었다. 마술에 푹 빠진 나는 마술이 너무 좋았고, 마술은 나의 삶의 중심에 새겨져 있던 검도라는 단어를 마술처럼 지워버렸다. 그렇게 마술과 사랑에 깊이 빠진 나는 1년 만인 15살이라는 어린 나이에도 프로 마술사로 데뷔하게 되었다. 남다른 삶의 시작이었다.

이때부터 나는 사회생활을 시작했고, 무대에 서서 잘하지도 못하는 말을 하기 시작했다. 이후로 33살이 된 지금까지 나는 몇 차례 직업을 바꿨지만, 내가 선택한 모든 직업은 공통적으로 말과 관련이 깊은 직업들이었다. 이런 삶의 여정은 나를 어린 시절과는 완전히 다른 사람으로 만들어 버렸고, 심지어는 이런 별명까지 얻도록 만들었다. 오디오를 채우는 전문가. 어린 시절의 나로서는 상상조차 해보기 어려운 놀라운 별명이었다. 문득 지금 내 옆에서 신나게 분위기를 이끌어가고 있는 이 친구에게도 이 별명을 붙여주고 싶다는 생각이 들었다.

이제 그만 이런 생각을 멈추고 친구들과의 대화로 돌아오고 싶었지만, 또 하나의 과거가 나를 붙잡고 놔주지 않았다. 20대 초중반 때였던 것 같다. 어느 날 갑자기 친한 누나에게 연락이 왔다. 누나는 나에게 시간이 있는지 물었고, 조금 어색한 지인이 청첩장을 전해주러 온다고 잠깐 만나자고 했다는 이야기를 꺼냈다. 그런데 나를 왜 찾냐고 물어보니, 어색한 사이라서 오디오를 채워줄 사람이 필요하단다. 내가 진짜 오디오인 줄 아나. 어이가 없어서.

물론 나는 사명감을 가지고 약속장소로 갔다. 어찌됐건 내가 필요하다면 가서 도와주긴 해야지. 나는 오디오를 채우는 전문가답게 그 자리의 오디오를 빵빵하게 채워주었다. 어색함을 느낄 틈 따위는 전혀 내어주지 않았다. 나는 전문가니까. 신나게 3시간 정도를 떠들었을 거다.

그날 나는 혼자서 집으로 돌아가다 불현듯 공허함에 휩싸였고, 생각에 빠졌다. '이게 내가 되고 싶었던 모습이 맞나? 나는 그냥 말을 잘하고 싶었던 게 전부였는데. 내성적이고 말을 잘 못하는 내가 너무 싫어서, 그게 전부였는데.' 이후로 이 생각은 오랜 시간 나를 따라다녔다.

생각에 잠겨 과거에 머무느라 친구들에게 무의식적으로 리액션을 하며 반응하고 있던 나는 다시 현재로 돌아왔다. 그리고 대화를 주도하는 많이 달라진 이 친구를 바라보며, 속으로 말을 삼켰다. '요즘 오디오를 채우는 전문가로 사는 너는 괜찮은 거니?'

두 번째 작가, 말랑주먹

Instagram: @mallangjumeog

말랑하게 다가가 말랑한 마음을 전하는 글을 씁니다.

말랑하다는 사전적 의미로 '야들야들하게 보드랍고 무르다.'라는 뜻입니다. 반복되는 일상에서 말랑한 마음을 만들기 위하여 카페를 방문하거나 영화를 보거나 여행을 다니는 것처럼 가볍게 다가가려고 노력합니다. 부디 이 조그마한 노력이 마음 편하게 오갈 수 있도록 더 나아가 툭 하고 던져놓은 행복을 주워 담아서 미소를 머금어 하루를 시작하길 희망합니다.

아직은 뚜벅이가 좋다.

20대의 마지막 삶을 걷고 있는 나에게 아직 차가 없다. 차가 없는 이유가 면허가 없어서는 아니다. (장롱 면허일 뿐이다.)

차가 없는 첫 번째 이유는 차에 관심이 없다는 것이다. 면허를 딴 이유도 분위기에 휩쓸려 딴 것이었다. 수능을 치고 겨울 방학 전까지 학교를 나갔다. 학교에는 오전만 있었고, 오후에는 대부분 친구가 운전학원에 다녔다. '수능 후 면허 취득'이 국룰이 되어버린 그런 분위기였다. 그런 분위기에 '나는 어떻게 할까?' 고민하고 있었는데 나에게 한 친구가 나한테 와서 물어봤다.

"나 학원 다닐 건데, 혼자 가기에는 심심한데, 같이 갈래?"

차에 관심도 없었고, 운전에 관심도 없었지만 지금 안 하면 할 시간이 없다고 생각했고, 다들 하는 분위기니까 집에 물어보고 답을 준다고 한 뒤 부모님께 허락받고 학원에 다녔다. 학원은 '이론교육 – 기능교육 – 도로교육'으로 진행되었다. 이론 공부는 생각보다 쉬웠고, 운전대를 잡는 것은, 손에 땀이 찰 정도로 심장을 뛰게 하였다. 기능은 쉽게 통과하였지만, 도로 주행은 그렇지 못하였다. 평균적인 탈락 횟수로 합격하였고, 주민등록증 외에 신분증을 만들었다는 것으로 또 다른 성인이 되었다는 느낌을 받았다.

하지만, 그 감정만 있을 뿐 차에 관심이 생긴 건 아니었다.

내가 다니던 대학교는 많이 걸어서 들어가는 학교라 선배, 복학생, 후배들이 차를 타고 등교하는 모습을 종종 보았다. 여름에는 땀을 흘리고, 겨울에는 발을 동동거리며 등교하면 차가 옆으로 '쌩~'하고 지나갔지만, 부럽다는 생각보다 '지금 굳이 차를 사야 하나?' '아직은 조금 이른 거 같은데…'라는 젊은 꼰대 같은 생각을 하곤 하였다.

차가 없는 두 번째 이유는 아직 뚜벅이의 삶이 좋기 때문이다. 20살 때 있었던 일이었다. 동네 약속을 나가는데도 철저히 계획을 짜고 나가는 계획형 인간이 그때는 왜 그랬는지 아직도 의문이다. 친구와 커피를 마시던 중에 갑자기 여행 이야기가 나왔다. 다른 애들은 면허를 따고 제주에 가서 렌터카를 빌리고 20살의 기억될 만한 여름휴가를 보내고 있는데, 우리는 무엇을 하고 있는가? 그것이 사건의 발단이었다.

"그럼, 아무 계획 없이 그냥 떠나보는 거 어때?"

"어? 어디로.?"

"'계획 없이 가는 거니까, 역에 가서 지금 바로 갈 수 있는 곳으로 주세요.' 하고 가는 거지"

그렇게 각자 집으로 돌아가 정말 최소한의 짐만 들고 역에서 만나서 역 매표소로 가서 물었다. 한여름 우리의 여행지는 '충북 제천'으로 정해졌다. 무궁화호를 3시간 30분 타고 제천에 도착했다. 도착하면 밤이었기 때문에 기차 안에서 할 수 있는 거라곤 역에서 가장 가까운 숙소를 예약하는 일이 전부였다. 다른 걸 조사하려고 해도 같이 간 친구가 절대 안 된다고 했다. 제천의 아침이 밝았고, 관광 안내 지도를 보고 청풍호에 가면 많은 것을 할 수 있다는 것을 파악했다. 사전 조사 없이 온 것이었기에 돌아갈 때 교통비, 밥값, 입장료 등을 넉넉히 제외하고 나니 청풍호까지 갈 교

통비가 없었다. 그래서 내린 결론은 '청풍호까지 걸어가자'
였다.

'날씨가 더워서 사람이 미쳤나?'

'이 거리를 걸어가자고?'

한여름, 20km, 도보로 6시간. 등과 이마에는 땀이 나고
장거리는 처음 걸어보는 것이라 다리도 엄청나게 아팠다.
어디서부터 잘못된 것일까? 카페에서의 그 이야기, 어제 친
구랑 만난 거 자체, 제주에서 차를 타고 논다고 자랑한 친
구들, 계획을 만들지 않는 나 자신. 별의별 생각을 하면서
우리는 걷고 또 걸었다. 속으로 욕을 하면서 걸었는데 신기
하게 풍경이 나에게 주는 선물은 뇌리에 박혔다. 도심은 도
심대로 자연은 자연대로 자신들의 매력을 봐달라는 듯한 느
낌으로 계속 이야기를 걸었으니, 그것을 못 듣고 지나갈 수
없었다. 그들의 선물 같은 이야기를 들으며, 목표 지점에
도착하였고, 계획 없이 떠난 20살의 여행은 힘들었지만, 뚜
벅이의 세계로 나를 이끌어 주었고 차가 필요 없는 이유를
더욱 확고하게 만들었다.

뚜벅이에게 '마냥 걷는 거잖아? 그거 말고 뭐 있어?'라고
말하는 드라이브인들이 간혹 있다. 그런 이들에게 반대로
물어보고 싶다. '그럼, 드라이브는 그냥 액셀러레이터를 밟
은 거지 뭐가 또, 있는가?' 뚜벅이들은 그냥 막 걷는 것이

아니다. 어디에선가 들어본 적이 있을 것이다. 뚜벅이들은 천천히 지나가는 장면을 감상하기 위해 걷는 것이라고, 그 것도 일부는 맞는 말이다. 그것 외에 뚜벅이를 하면 좋은 점 몇 가지를 더 이야기해 보려고 한다.

먼저 우리가 매일 지나가는 길을 걸어간다고 생각해 보자. 출근길, 퇴근길, 등굣길, 하굣길, 취미생활을 하러 가는 길. 같은 풍경이라고 생각하는가. 만약 그렇게 생각한다면 오늘부터 다시 곰곰이 보았으면 한다. 구름의 위치, 꽃과 풀들이 고개를 돌린 방향, 주변 가게에 들어가 있는 사람들이 다를 것이다. 그런 모습을 찾는 재미가 뚜벅이가 좋은 이유 중 하나이다.

또, 아침, 낮, 밤, 새벽 공기가 주는 무게감을 느끼는 것도 뚜벅이를 포기하지 않는 이유 중 하나이다. 여기서 무게란 나의 몸을 억누르는 느낌이 아닌 온몸을 감싸는 그 공기가 나를 앞으로 나아가게 해주는 추진력 같은 그 느낌이 공기가 주는 무게감이라 할 수 있다.

앞서 언급한 한 이야기는 내가 그들을 찾는 것일 수도 있지만, 그들이 제발 자기를 봐달라고 하는 속삭임을 들어보는 것이라 할 수 있다. 언제까지가 될지 모르겠지만, 아직은 뚜벅이가 좋다.

몰랐다 물에서 노는 것이 재미있는 것만이 아니라는 걸

이 이야기는 운동 바보가 운동을 시작하는 이야기입니다. 어릴 때부터 물을 싫어하는 아이는 아니었다. 바다, 계곡, 워터파크 심지어 꼬꼬마 시절에는 큰 대야에 물을 받아서 놀 정도로 물을 사랑하는 아이였다. 물에서 노는 것이 재미있었고, 물이 친구같이 느껴졌다. 물에서 노는 것이 재미있는 건 그저 물장구만 치는 사람, 물 안에서 움직일 때 물밖에서와 마찬가지로 걸어 다니는 사람 그리고 안전하게 가슴까지만 물이 와야만 물에 들어갔기 때문이다.

초등학교 시절 왜소한 몸 때문에 검도 학원에 다녔는데,

여름이 되면 대공원 안에 있는 수영장을 갔었다. 야외 수영
장에서 놀고 싶었지만, 또래보다 키가 작아서 구명조끼가
없으면 놀 수 없었다. 그래서 갈 때마다 실내 수영장에서
나 홀로 놀곤 했었다. 어느 날 준비 운동을 한 뒤 야외 수
영장에서 놀고 있는 친구들을 바라보고 있었는데, 뒤에서
사범님이 갑자기 번쩍 나를 들어 올리더니 "야 인마 남자는
강하게 마음먹어야 해"라고 하면서 물속으로 냅다 던져버
렸다. (지금은 큰일 나는 일이겠지만, 그때는 이런 것도 강
인함을 키우기 위한 것 중 하나였다.) 물속에서 허우적대고
있으니, 사범님께서는 손을 내밀어 구해주셨다. 방법은 거칠
었지만, 신기하게 이 경험은 깊은 물에 대한 자신감을 만들
어 주었다. (구명조끼는 있어야 했지만)

　여름에 강에서 놀았을 때의 일이었다. 처음에는 구명조끼
를 입고 놀았는데, 조끼가 불편하기도 하였고 강이 그렇게
깊게 느껴지지 않았다. 그래서 구명조끼를 벗고 물에 들어
갔는데 어깨높이 정도로 물이 왔다.
　'이 정도면 괜찮겠지'
　하지만 그건 비극으로 갈 뻔한 일을 자처하는 일이었다.
강가와 가까운 강의 바닥은 고르게 평평했는데, 안으로 들
어가니 움푹 파인 곳이 있었다. 그렇다. 갑자기 땅이 훅 꺼
지더니 물에 빠지고 말았다. 살려달라고 허우적거렸지만, 다

른 사람이 보이기에는 물에서 노는 게 재미있다고 손을 흔드는 것처럼 보였다고 한다. 죽기 직전에 이르면 이때까지 살아온 기억이 영화처럼 보인다는 말은 진짜였다. 기억날 일이 없는 태어났을 때 장면부터 지금까지의 장면의 한 편의 영화처럼 빠르게 지나갔다. 사람은 위기 상황에 부닥치면 가끔 똑똑해진다. 강의 바닥에는 큰 돌이 몇 개 있었고 그 돌을 발끝으로 차면서 무사히 물 밖으로 나왔다. 이 사건 이후 물에 갈 때는 꼭 튜브와 구명조끼를 꼭 챙기는 사람이 되었다.

요즘은 학교에서 '생존 수영'이라고 해서 어릴 때부터 수영을 배운다고 들었다. 이 이야기를 들었을 때, 조금 더 나이를 먹기 전에 맨몸으로 수영하고 싶다는 생각했다. 그 마음을 알아주었던 것일까 마침 동네에 수영장이 생겼고 수영을 배우기로 마음먹었다. 그렇다. 물과 친해진다는 것이 재미있는 것만이 아니라는 걸 느끼게 해주는 수영 수업이 시작되었다.

수영반 기초 수업을 신청하고 온갖 상상을 했다.
'나도 수영선수들처럼 멋지게 입수해서 폼나게 돌아서 수영하겠지?'
'수영이 그렇게 다이어트에 도움이 된다는 데 멋진 몸을

만들 수 있겠지'

'훗훗, 나도 이제 맥주병 탈출이라고'

수영 수업 첫날, 같이 수업할 수강생분들과 어색하게 인사를 나눈 뒤 강사님이 들어오셨고 수업을 시작하였다.

'헤헤, 나도 오늘부터 수영한다!'

하지만 생각한 것과 달랐다.

"자, 모두 저기 유아풀로 이동하겠습니다"

'응? 반을 잘못 신청했나?'

"오늘은 발차기할 거예요."

발차기도 그냥 발만 차면 되는 줄 알았는데, 발의 자세, 각도, 힘 조절 등 주의해야 할 것이 많았다. 그렇게 발차기가 수영 발차기로 바뀌었을 때, 어른 풀장으로 이동하였고, 킥판이 우리에게 주어졌다. 줄줄이 킥판을 들고 배운 발차기로 앞으로 나갔다. 분명 수영을 할 때 도움을 주는 것이 킥판인 건데 앞사람의 물장구, 물의 저항 등으로 앞으로 나가는 게 더 힘들었다. 킥판을 가지고 수영하는 기초반 수업이 끝나고 기본반이 되었다. 기본반 첫 수업은 강사님께서는 다시 유아풀로 이동하라고 하셨고, '음파 수업'과 '팔 돌리기' 수업이 진행되었다.

"음...파, 음...파"

물에서 호흡법은 생각보다 힘들었다. 적절히 물속에 있다가 나와서 잠깐 숨 쉬고 다시 들어가고를 반복하였다.

'생각보다 물 밖에서 숨 쉬는 시간이 짧구나…'

음파 수업을 끝내고 어른 풀장으로 이동해 킥판 없이 앞으로 헤엄쳐갔다. 손을 앞으로 쭉 뻗고 몸에 힘을 빼고 발차기…. 이게 물에 뜨고 수영하는 방법이었을까 신기하게 물에 뜨고 앞으로 나아가고 있었다. 팔 돌리기도 그냥 막 팔을 돌리는 것이 아니라 팔과 손으로 물을 민다는 느낌으로 돌려야 했다. 초급반이 되면 본격적인 자유형 수업이 시작된다. 그리고 같이 수강을 신청한 분들이 하나둘씩 사라지기 시작한다.

반이 올라갈수록 배영, 평영, 접영을 배우게 되는데 물 먹는 건 똑같고 배운 거는 많지만 할 줄 아는 건 없는 그런 수강생이 되어갔다. 평영은 생각보다 앞으로 잘 나아가지 않았고 접영은 "말랑주먹님 웨이브가 없네요"라는 말을 듣기도 하였다. 주말반이었으니 성장이 느린 건 당연한 결과일 수도 있다고 혼자서 위안하면서 꾸준히 나갔다. 그렇게 꾸준히 나가니까 어딘가 부족한 1.5km를 수영할 수 있는 수영인이 되었다.

그 수영인은 접배평자 외에 잠영, 리커버리, 사이드턴, 다이빙 스타드, 오리발 수영 등을 배웠다. 열심히 배우는 중에 코로나가 왔고 수영학원이 문을 닫았다. 지금 현재는 수영을 안 다니고 있지만, 나중에 다시 수영을 시작할 것이다.

세 번째 작가, 뽀뽀리

Instagram: @bbo_bboly

내가 바라보고 있는 그것이 존재 그 자체로 바라볼 수 있기를 바랍니다. 아이처럼 맑고, 강아지처럼 맑고, 세상의 편견으로부터 맑고, 있는 모습 그대로를 담아내서 맛있는 풍미를 느끼는 글이 되길, 배부른 한 끼 식사가 되길, 영원히 목마르지 않는 물이 되길 소망합니다.

끄적 시리즈1: 시식코너와 나, 그리고 인생의 상관관계

오후 4시. 마트 도착. 장을 보기 위해 카트를 하나 집어 매장 안으로 들어왔다. 마트 안에 있는 시식코너는 그저 바라만 봐도 행복하다. 오감을 만족하게 해주기 때문이다. 먼저는 후각을 자극하며 신호를 알린다. 점점 가까워져 올수록 청각도 만족하게 한다. 지글지글, 보글보글. 시식코너와 가까워지기 5초 전, 시각의 만족이 채워졌다. 촉각으로 가기 직전, 잠깐! 시식코너 앞에서 주춤거리는 내 모습을 발견하게 됐다. 왜지? 잠시 생각해 봤다.

시식코너. 과연 그곳은 어떤 곳인가? 그곳을 말할 것 같으면, 팔려고 하는 자와 시도해 보는 자의 무언의 팽팽한 에너지의 교류! 숨길 수 없는 본능적 밀당, 그리고 왠지 모를 미안함까지. 여러 가지 생각이 스쳤다. 아마 시식코너에 계신 분들은 한 번 맛을 봐야 제품을 살 가능성이 높아지기에 시도해 보는 사람이 많으면 많을수록 행복하고 감사할 것이다. 하지만 내 입장은 '안 살 수도 있는데 괜히 먹었다가 서로 마음만 상할 수 있지 않을까?' 하는 복잡미묘한 생각이 든다.

한 번 드셔보시고 가세요. 시식 판 위에는 작은 종이컵엔 이번에 새로 출시된 라면이 국물과 함께 담겨 있다. 시식코너와의 거리 1m. 가볼까? 말까? 가도 돼. 이건 손님의 권리야. 아니야. 너 진짜로 맛있다면 살 생각 50%라도 있어? 솔직해져 봐. 그렇지 않다면 시식하는 것은 의미가 없어. 그렇게 자체 검열을 하며 자연스럽게 시식코너를 지나친다. 난 아무렇지 않게 내가 원래 사려고 했던 물건 코너 쪽으로 걸음을 멈추지 않고 간다. 좋아, 아주 자연스러웠어.

인간의 3대 욕구 중 식욕의 부분이 큰 비중으로 차지하는 나는, 저 시식코너의 작은 공간이 계속해서 머릿속에 맴돈다. 다른 물건을 집어서 가격을 확인하는 동안에도 온몸의 세포들은 시식코너 쪽을 향해 있다. 그 시식의 공간에 가면

안 되는 것도 아닌데, 큰일이 일어나는 것도 아닌데 왜 이렇게 주춤하는 것일까? 나는 물건들을 고르면서 아까의 일을 다시 생각해 본다. 나는 마치 물건을 신중하게 고르는 사람 같아 보일 것이다.

아니, 뭐지? 알 수 없는 이 마음에 이제는 열이 오르기 시작한다. 그 공간에 가면 잡아먹힐 것 같은가? 그 공간에 가면 발가벗겨질 것 같은가? 아니면 시식하고 나서 맛이 없는 데도 죄송한 마음에 덜컥 사게 될 나를 걱정하는 것인가? 그것도 아니면 뭐가 고민이란 말인가? 그리고 그것 좀 휘둘리면 어떠한가? 인간은 언제부터 이런 패배감과 휘둘림에 감정이 상하기 시작했던가? 그저 상처받기 싫어서 시도도 안 해보는 겁 많은 어린아이와 뭐가 다르단 말인가? 결국, '서로 바라만 보고 있을 때가 좋지, 뭐.'라는 결론으로 아무 행동도 취하지 않은 변화 없는 삶을 추구할 텐가? 서로 부딪히고, 맛보고, 생각하고, 경험함이 얼마나 중요한가? 그래! 난 다시 용기 내어 그 시식코너로 향했다.

맙소사! 시식코너 아주머니의 부재와 동시에 시식대의 라면이 비어있는 것이 아니겠는가! '인생은 역시 타이밍!'이라는 누군가의 명언이 생각이 났다. 화장실 가셨나? 끓이고 계시다가 잠깐 어디 가셨나? 쉬는 시간인가? 여러 가지 생각들이 오갔지만, 아직 열기가 있는 냄비를 보며 일단 일보 후퇴하는 마음으로 다시 내가 사야 할 물건들을 사면서 시간을 보내고 마지막에 와 봐야겠다는 결론을 맺었다.

좌절하지 말자. 그럴 필요 없다. 그런데도, 자꾸만 올라오는 이 좌절감은 뭐지? 이 패배감은 무엇이란 말인가? 아까 가서 용기 있게 먹어봤으면 좋았으련만, 아까 많이 생각하지 말고 그냥 몸으로 먼저 실천해 보았으면 좋았으련만. 이런저런 이유와 과거의 나를 돌아보며 후회하고 있었다.

마트를 한 바퀴 쭈욱 다 돌고 내가 살 물건들도 카트에 전부 담았을 무렵 이제 이즈음이면 오셨으려나 목을 쭈욱 빼서 한번 보았다. 하아! 다행이다. 아주머니의 모습이 보이고, 오감을 충족시키는 라면 시식이 다시 진행 중이다. 그런데 시식 판에 몇 개밖에 안 남은 것을 확인했다. 흠. 경쟁자는 대략 3팀 정도 되는 것 같다. 저쪽 옆쪽에서 오는 신혼부부로 보이는 한 팀, 그리고 맞은편에서 오고 있는 초등학생과 함께 온 엄마 한 팀, 그리고 마지막으로 바로 내 조금 앞에서 앞서 걸어가고 있는 여자분 한 명. 나는 아무도 눈치채지 못하게 나만이 알 수 있는 조금 빠른 걸음으로 성큼성큼 걸어갔다. 마치 시식코너는 그 근처에서 발견한 듯한 느낌을 주기 위해 물건을 둘러보는 척하면서 여유 있게 다가간다. 그렇지, 지금까지 좋아. 자연스럽게 행동하자.

아잇! 안돼! 거의 다 왔는데! 내 앞에 갑자기 나타난 초등학생 두 명과 그리고 내 앞에 조금 앞서가던 여성분이 양손으로 같이 온 사람의 라면까지 챙기며 순식간에 시식 판에 있는 라면이 담긴 종이컵들이 사라졌다. 후우... 쉽지 않은 싸움이 될 것 같다. 여기 계신 분들의 내공이 엄청난 것 같다. 하지만 난, 절대 포기하지 않는다! 다시 자연스럽게 걸음을 멈추지 않고 시식코너 건너편에 있는 과자 코너로 가서 생각지도 않았던 과자를 보게 됐다. '이 과자가 맛있을까? 음, 이 과자에는 어떤 성분이 들어갔을까?' 하는 모습처럼 보이겠지만 사실 내 귀는 이미 시식코너 바로 앞에 있다. 이번엔 기필코 성공하리라.

곧 아주머니께서 냄비뚜껑을 여니, 다시금 완성된 라면 냄새가 마트 안에 퍼져갔다. 나는 마음속으로 주문을 걸었다. 얼른 종이컵에 담아주세요. 얼른 얘기해주세요. 얼른 시식하라고 얘기해주세요.
'자, 맛보세요. 이번에 새로 나온...'

탁, 후루룹

자연스러움은 온데간데없고 종이컵이 시식 판에 올려지자마자 다급한 나의 손길은 이미 그것을 향했다. 촉각의 완성이 드디어 이루어졌다. 바로 이어 미각의 완성이 이루어지는 찰나, 온몸에 퍼지는 라면의 짜릿한 맛과 깊은 국물의 맛은 그동안 나의 걱정과 염려를 녹여주는 듯했다. 와! 그래! 이 맛이야.

다 맛보고 나니, 갑자기 문득 난 왜 여기 있는지, 난 무엇을 위해 여기 있는지 문득 질문들이 올라왔다. 무엇을 위해 이 시식코너를 향해 달려온 것인가? 난 왜 이 시식코너를 그냥 지나치지 못했는가? 한바탕 혼자 웃어보며 "맛있네요."라고 나도 모르게 불쑥 튀어나왔다. 그곳에 계신 직원분은 나의 말에 친절하게 답변해 주셨다.

"맛있죠? 서비스도 있어요. 오늘만 하나 더 묶어드려요. 내일부턴 없어요."

내일부턴 없어요. 내일은 없다. 내일부턴 서비스는 없다는 말. 오늘만 하나 더 준다는 말. 그 말에 나는 어떻게든 사야 하는 방향으로 생각을 정리해 나간다. 나 오늘 장보길 잘했잖아? 어차피 라면 한 봉지 있으면 한 끼 해결할 수 있지 않나? 요즘 한 끼 값이 얼만데! 그리고 새로운 라면도

도전해 봐야 경제발전에 기여할 수 있지 않나? 그리고 진짜 맛있기도 했잖아? 이런저런 생각들을 정리하면서 보니 이미 내 카트 속엔 '5+1' 된 라면 봉지가 올려져 있었다.

"감사합니다."

시식의 성공과 나를 뛰어넘은 발전, 한 봉지의 서비스까지 아주 야무지고, 아주 알찬 합리적인 뿌듯한 하루였어. 당당한 걸음을 걸으며 계산대로 향했다. 아, 이제 집에 가서 푹 자야겠다.

끄적 시리즈2: 불안(不安)으로 사는 삶

　빵을 만들 땐 이스트가 필요하다. 이스트는 빵을 발효시켜 부풀게 도와준다. 하지만 이스트만 있다고 해서 빵이 부푸는 것은 아니다. 이스트의 먹이가 필요하다. 그것은 바로 설탕. 그리고 이뿐만이 아니라 빵을 만들 때는 주된 재료인 밀가루 말고도 여러 가지 조합이 필요하다. 물, 소금 등등. 재료의 조합이 끝나면 온도 습도 그리고 발효 시간이 중요하다. 이 모든 것이 잘 이루어지면 하나의 완성된 빵이 되는 것이다.

　내 마음이 빵의 주된 재료인 밀가루라면 이스트와 설탕을 잘 만나서 멋진 빵이 되게 하고 싶다. 내 마음의 빵에 정확한 온도와 습도, 그리고 그에 맞는 시간을 적용해야 멋진 빵이 될 수 있겠지? 이러한 것들은 굉장히 민감하기에 이것 중 하나라도 놓치면 빵이 잘 만들어지지 않게 된다. 발효가 덜 되거나, 딱딱해지거나 혹은 익지 않게 되는 결과물이 발생하게 되는데, 내 마음의 빵을 잘 만들기 위해선 어떤 과정이 필요할까? 모든 과정이 잘 진행이 되었다면 결과는 과정에 따라 당연하게 출력될 것이다.

인생의 빵을 만드는 과정에서는 수많은 감정이 발생한다. 빵을 만들기 시작하는 순간부터, 나의 목표가 시작되었기에 결과를 생각하지 않을 수 없고, 좋은 결과물을 위해 노력하는 삶으로 흘러간다. 당연히 좋은 결과물을 위해 노력하는 것은 중요하다. 하지만 여기서 생각지 못한 부분이 있다. 결과가 좋지 않을 가능성도 분명히 있다는 것을 잠시 잊는다. 인생의 빵을 만드는 최종 목표가 결과물의 완성도로 결정되는 순간, 그 과정에서 나의 불안이 작동한다.

잘 만들고 싶은데... 망치면 어쩌지...? 영원히 해답을 찾지 못하면 어떡하지? 이 길이 아니면 난 어디로 가야 하는 걸까?

사람은 언제부터 불안을 알았을까? 또 난 언제부터 불안이 있었을까? 언제부터 불안을 불안이라고 인지했을까? 불안은 어디서부터 오는 걸까? 이런저런 생각을 하다 보니 어느덧 세월을 거슬러, 거슬러 올라가 보고 있었다.

내가 아주 어렸을 때, 햄버거 놀이(사람이 빵이 되고 패티가 되어 켜켜이 쌓는 놀이를 하는 것. 가위, 바위, 보를 통해서 지는 사람 순서대로 제일 밑에 빵부터 쌓는다.)를 할 때면 누가 내 위로 올라와 짓누를 때, 말할 수 없이 죽을 것 같은 공포와 답답함이 엄습해 오는 것이었다. 다른 친구들은 웃으면서 재밌게 하는 것 같은데 나는 왜 이렇게 힘들까? 한 번은 제일 밑에 깔리게 됐을 때 참다 참다 나도 모르는 엄청난 힘으로, 친구들 모두의 무게와 중력을 무시할 정도의 힘으로 일어나버렸다. 이러다가 숨 막혀 죽을 것 같았다. '나도 저 친구들처럼 재밌게 놀고 싶다.' 생각하고 있었는데, 어느 날 엄마는 나의 태어난 일화를 말해주셨다. 태어날 때가 이제 임박해서 나올 때가 됐는데, 엄마의 말을 그대로 인용하자면 내가 엄마 배 안에서 안 내려오고 있었고, 산소가 부족한 상황이었다는 얘기를 들었다. 그래도 다행히 너무 늦지 않게 수술하게 되어 안전하게 세상 밖으로 나오게 되었는데, 그 얘기를 듣자마자 나의 불안은 여기서부터 시작된 거라는 것을 직감했다.

불안감. 가장 큰 불안은 '내가 죽을 수도 있구나.' 여기서 부터 출발할 때, 걷잡을 수 없는 기분이 든다. 갑자기 눈을 감고 낯선 길을 열 걸음 이상 걷는 기분. 앞에 무엇이 있는지 전혀 모르고 내가 어떻게 될지 모르는 상태일 때, 나는 '불안하다.'라고 한다.

막다른 길에 놓였을 때, 나는 또 다른 생각을 해본다. '불안'이라는 것이 꼭 불안한 뜻만 있을까? 조금만 생각을 달리해 본다면 '불안'은 부정적인 뜻만 지닌 건 아닐 수도 있다. 단어의 개념을 좀 더 폭넓게 생각해 보자. 불(不). 아니 불. 안(安). 편안한 안. 편안하지 않은 상태. 어? 잠깐만! 이 상태는 어찌 보면 이 세상에 당연한 이치 아닐까? 인간은 한 치 앞도 모르는 삶을 살기 때문에 1분 뒤, 심지어 1초 뒤도 예상할 수 없어 불안하기도 하지만, 반대로 세상에서 일어나는 일 모두, 마치 선물상자를 뜯기 직전의 단계일 수도 있지 않겠는가? 내가 두 발로 서 있는 이 땅에 누군가 명확하게 '여기가 100% 맞아.', '여기는 아니야.'라고, 얘기 해주는 인생이 어땠겠는가? 그렇기에 '불안'이라는 것은 다른 말로 하자면 '세상' 그 자체 아닐까? 혹은 빵 속에 '이스트' 같은 존재일 수 있다. 혹은 '설탕'. 인생의 알 수 없는, 예측불허한 재미를 선사해주는 독특한 친구 같은 존재 말이다.

왜 인간은 불안하면 안 될까? 왜 극도의 불안도, 극도의 편안함도 삶에 도움이 되지 않는 걸까? 공원을 걸으며 나에게 질문 세례를 퍼부었다. 그러고 있는데 눈앞에 한 소년이 자전거를 타며 지나간다.

체인이 돌아가는 소리.

그래! 인간은 계속해서 페달을 밟아야 한다! 안전하게 중심을 잘 잡을 수 있는 평탄한 길도 있겠지만 간혹가다 오르막길, 내리막길, 비포장도로 등 계속해서 노력하고 발전하고 힘내서 페달을 열심히 밟아 나가야 넘어지지 않고 앞으로 나아갈 수 있다! 그리고 때로는 잠시 브레이크를 밟고, 자전거를 정차시킨 뒤, 하늘을 보며 누워서 쉬어가도 좋겠다는 생각을 해본다.

이 세상에서 불안을 완전히 지울 수 없다는 결론을 내렸기에 이 불안을 긍정의 기운으로 바꿔서 생각해 보려고 한다. 우리가 아는 '불안'에서 긍정적 '불안'으로 바꾸기 위해서 내가 해볼 수 있는 노력은 뭐가 있을까?

'나'를 더 잘 들여다보는 것. '나'의 소리에 귀 기울이는 것. '나'는 뭘 하면 재밌는지, 뭘 할 때 행복한지, 그래서 삶의 목표설정이 성과가 아닌 '어떤 경험'을 할 것인지, 그것이 내 인생에 어떤 즐거움을 주는지 생각하자.

  나만의 인생의 그림을 그리는 것.
  내 마음의 빵의 레시피를 찾는 것.

  숨을 한번 크게 들이마시고 내쉬며, 하늘을 나는 새를 본다. 새는 직선으로 날지 않는다. 그리고 계절은 돌고 돈다. 지금도 자연은 조금씩 흘러가고 있다. 그 섭리 속에 내가 아무리 여름을 붙잡고 싶다고 하더라도 여름은 지나가고 겨울을 외면하려고 해도 겨울은 온다. 그저 나를 자연 속에 두고 자연스럽게 살아가는 것. 그 방법을 죽을 때까지 터득하며 살아가는 것이 삶이지 않을까? '세상'이라는 '페달'을 밟으며 살아가는 것이 얼마나 위대한 일인가? 페달의 무게, 페달의 위치가 각자 다 다르기에 순서와 속도도 다 다를 것이고, 사람의 걸음걸이가 모두 다 다르듯이 우리의 인생의 걸음과 속도는 다 다를 것이다. 그러기에 내 인생의 페달에 더욱 집중해서 재밌는 빵을 만들어 보자.

  내 마음의 빵은 어떻게 구워질까? 나만의 이스트는 뭘까? 내 마음의 온도와 습도 그리고 시간은 어떻게 해야 나다운, 아름다운 마음의 빵이 될까? 기대하자.

火, 안에서 사는 열정적인 삶을 위해

네 번째 작가, 최진호

Instagram: @ruah0_828

살다 보니 글 쓰는 재주를 발견하게 되고
살다 보니 드라마 작가도 해 보고
살다 보니 동화 작가도 해 보고
살다 보니 연극과 뮤지컬 대본도 써 보고
살다 보니 영화 시나리오도 써 보고
살다 보니 그 고상하다던 시를 써 보고
살아내다 보니 이렇게 이야기꾼이 되어 있고...

산들바람의 속삭임

산들바람이 지나가는 언덕 위에 있으면, 그 순간은 마치 세계가 멈추어 있는 듯한 착각을 일으킨다. 또 푸른 잔디 위에 누워 바라보는 높은 하늘은 끝없이 퍼져 나가는 자유로움을 상징한다. 내 마음은 시간의 흐름과 무관해지고, 현재의 순간에 집중한다. 산들바람은 나에게 고요함을 선사하며, 내 안에 잠든 소망과 꿈을 일깨워 준다.

그 바람은 부드럽게 머리칼을 쓸어내리고, 마음을 풀어주는 속삭임처럼 들린다. 바람의 소리는 마치 자연이 나에게 이야기하는 것처럼 들리고, 그 소리에 귀를 기울여 본다. 마치 산들바람이 내게 속삭이는 말은 시간의 흐름을 잊고 현재에 집중하라는 것 같다. 그 소리에 나는 미소를 지으며, 내 안의 평안을 찾아간다.

산들바람이 부는 언덕에서는 자연과 인간이 조화롭게 공존한다. 나는 바람을 맞고 있으면 자연과 하나가 되어가는 느낌을 받는다. 그곳은 나에게 인간은 한없이 작은 존재임을 상기시켜 주며, 자연의 위대함에 대한 경외심을 일깨워 준다. 산들바람의 속삭임은 나에게 자유로움과 용기를 주고, 새로운 도전에 나서는 용기를 갖출 수 있도록 격려해 준다.

또한 산들바람은 끝없이 흘러가는 시간과 함께 내게 다가와, 나를 향한 사랑과 희망의 메시지를 전달한다. 그것은 나에게 삶의 무한한 가능성을 상기시키며, 내 안의 힘을 일깨워 준다. 산들바람의 속삭임은 나에게 새로운 시작을 알리며, 미래에 대한 무한한 기대와 희망을 안겨 준다.

언제나 산들바람이 부는 언덕 위에서는 내 안의 평안과 희망을 찾을 수 있다. 그곳에서의 경험은 나를 변화시키며, 내 안의 숨겨진 능력을 발견하게 한다. 산들바람은 나에게 인생의 한 페이지에 쉴 수 있는 그루터기이며, 나의 마음을 자연 속 신비로운 세계로 안내하는 길잡이다.

그래서 산들바람이 부는 언덕은 자연의 숨결을 만날 수 있는 곳이다. 그 언덕 위에서 바람이 스쳐 지나가면, 마음도 함께 머무르게 된다. 그 순간에는 마치 세계의 모든 소음이 멎고, 오롯이 나만 남아있는 듯한 평안함이 찾아온다. 언덕의 끝없이 펼쳐진 풍경은 시간이 멈춘 듯한 느낌을 주고, 바람의 소리는 마음을 안정시켜 준다.

캐나다에서 경험한 산들바람의 경험이 그러했다. 내가 있던 곳의 뒷동산으로 올라가면 날씨가 좋은 날엔 산들바람을 맞을 수 있었다. 뒷동산도 텔레토비에 나올 법한 완만한 곡선의 동산이었는데 올라가는 길도 어렵지 않아 짧은 시간 안에 금방 올라갈 수 있었다.

그 언덕 위에 올라서면 모든 것이 조용했다. 여기에서 조용하다는 것은 인위적인, 인공적인 소리가 들리지 않는다는 뜻이다. 휴대전화, 자동차 경적, 비행기 등 인간이 만들어내는 소리가 들리지 않는다. 그저 나무숲 어디에선가 들리는 새소리들, 그리고 산들바람이 만들어내는 바람의 소리가 있다.

산들바람이 지나가면 그 바람이 나뭇잎을 지나 소리를 만들어낸다. 아니, 소리보단 음악이 가깝다. 수많은 나무에 달린 나뭇잎들이 산들바람을 통해 만들어내는 자연의 소리는 웅장한 오케스트라의 느낌보단 섬세한

목관 악기의 연주처럼 들린다. 그 음악 소리에 나도 모르게 눈이 감기고 그 소리에 집중해 본다. 거기에 새소리까지 더해지면, 나도 모르게 자연이 주는 음악에 감탄이 터져 나온다.

자연이 참 좋다. 산들바람의 속삭임이 참 좋다. 지금은 캐나다를 떠나와서 그러한 경험을 좀처럼 할 수 없는 환경이지만 내 마음엔 늘 산들바람이 부는 언덕이 있다. 그리고 삶의 무료함과 시시때때로 찾아오는 지침 속엔 이 산들바람을 기억해 본다.

내가 이렇게 산들바람을 좋아하는 이유는 산들바람은 강하지 않기 때문이다. 태풍이나, 칼바람처럼 무시무시하게 불어닥치고 쓸어버리는 바람이 아니다. 산들바람은 조용히 내 어깨 위에 앉는 바람이다. 머리카락을 조용히 쓰다듬는 바람이다. 목덜미를 지나갈 땐 마치 연인의 손길처럼 부드럽게 스쳐 지나가는 바람이다. 그래서 나는 산들바람을 좋아한다. 산들바람의 속삭임은 굳이 녹음하지 않아도, 눈만 감으면 내 마음에서 불고 있고 들을 수 있어서 좋다.

그렇게 오늘을 살아내는 나와 당신의 마음 안에도, 삶의 휴식이 필요할 때 잔잔한 산들바람의 속삭임이 일어나길 소망한다.

저녁노을에 대한 단상

　하루의 마지막 빛이 서서히 지평선 너머로 사라지기 시작할 때, 나는 자연이 선사하는 황홀한 순간 중 하나를 마주하게 된다. 그것은 바로 저녁노을이다. 하루의 마지막 빛이 사라지는 그 순간, 황홀한 저녁노을이 나의 눈 앞에 펼쳐지며, 일상의 소란과 잡념에서 잠시 벗어나게 해 준다. 저녁노을의 아름다움은 단순히 시각적인 즐거움을 넘어서, 나의 마음에 깊은 울림을 준다. 붉게 물든 하늘은 마치 하루의 피로와 스트레스를 모두 씻어내려는 듯, 나에게 평온함과 안식을 선사한다. 그 순간, 나는 자연과 하나가 되어 나 자신의 내면을 들여다보게 되며, 일상에서 잊고 있었던 소중한 가치들을 다시금 상기하게 된다.

태양이 지평선 아래로 사라지는 그 짧은 순간에도, 하늘의 색은 순식간에 다양하게 변화한다. 이처럼 변화무쌍한 저녁노을은 나에게 변화를 두려워하지 않고 받아들이며, 삶의 각 순간을 소중히 여기라는 메시지를 전달해 준다. 또한, 저녁노을은 하루를 마무리하는 시간으로서, 나에게 그날 있었던 일들을 되돌아보고 내일을 위한 새로운 희망과 계획을 세울 기회를 제공한다. 하루의 끝을 알리는 저녁노을은 마치 나에게 "오늘 하루도 수고했어"라고 다독이는 듯하다. 이러한 순간은 내가 어떤 어려움에도 굴하지 않고 앞으로 나아갈 수 있는 용기와 힘을 준다. 저녁노을이 주는 또 다른 선물은 그것이 만들어내는 고요함과 평화다.

캐나다에서의 퇴근길은 차량 정체가 엄청나다. 어느 도로에 있느냐도 중요한데 내 기억으론 401고속도로였다. 8차선의 크고 넓은 도로 위에 수백 대의 차량이 정체된 풍경은 마치 영화 '라라랜드'의 오프닝 같다고나 할까? 정말 어디서 이런 차들이 나왔는지 신기하기만 하다.

하지만 정체된 차량 위로 붉은 노을이 하늘을 수놓을 때, 세상은 지금 이런 퇴근길 지옥에서 잠시 멈춘 듯한 평온을 맞이한다. 이때, 나의 마음도 자연스레 고요해지며, 일상의 번잡함에서 벗어나 진정한 나를 만날 수 있는 소중한 시간을 갖게 된다. 결국, 저녁노을은 나에게 삶의 아름다움을 일깨우고, 변화를 받아들이며, 하루를 되돌아보고, 평온함을 찾는 법을 가르쳐준다. 저녁노을의 순간은 빠르게 지나는 화살처럼 덧없지만, 그 속에서 나는 인생의 소중한 교훈을 배우며, 내일을 향한 새로운 희망을 품게 된다.

저녁노을의 색깔은 보면 볼수록 참으로 신기하다. 자연의 현상으로만 치부하기엔 설명이 턱없이 부족하다. 정말로 누군가의 창조가 아니면, 이러한 색깔 배합이 자연적인 현상으론 나올 수가 없다는 게 나의 지론이다. 저녁노을의 색상은 정말 예술작품이다. 노을이 점점 깊어져 가면서, 하늘의 색깔은 더욱 짙어지고, 마침내는 보랏빛과 남색이 어우러져 신비로운 분위기를 자아낸다. 이때, 첫 번째 별이 저녁 하늘에 빛나기 시작하며, 하루의 마지막 빛과 밤의 시작을 알린다.

이 순간, 나는 나의 작은 고민 들이 얼마나 하찮은 것인지 깨닫는다. 자연 앞에서, 나는 겸손해지고, 삶의 진정한 가치에 대해 다시 한 번 생각하게 된다.

그리고 저녁노을이 점점 어둠에 흡수되어 가면서, 나는 현실로 돌아온다. 하지만, 그 황홀했던 순간들은 내 마음속에 깊이 새겨져, 언제나 나에게 위안과 희망을 준다. 이러한 경험을 통해, 나는 자연이 주는 선물의 소중함을 다시 한 번 깨닫고, 일상으로 돌아가더라도 그 아름다운 기억을 가슴에 품고 살아간다고 다짐한다. 황홀한 저녁노을은 단순한 자연 현상이 아니라, 나에게 삶의 아름다움과 소중함을 일깨워 주는 시적인 순간이다. 그리고 나는 그 순간을 통해, 삶이라는 여정 속에서 더욱 가치 있고 의미 있는 순간들을 찾아가고자 한다.

생각해 보면 저녁노을이 주는 평안함과 황홀함은 돈이 드는 것도 아니었다. 그저 자연이 주는 선물이었고 노을을 봤다고 누군가에게 따로 계산하지 않아도 되는 것이었다. 하지만 그런 자연이 주는 선물을 어느 순간 당연하게 생각하는 나를 발견했다. 돈으로도 환산할 수 없는 이 아름다운 풍경을 잊고 살아가고 있었다.

그래서 저녁노을을 보며 내 삶은 감사로 바뀌게 되었다. 그저 주어지는 이 아름다운 풍경의 선물에 감사하며 내가 살고 있는 이 땅과 내 주변의 사람들을 사랑하고 감사할 수 있게 되었다. 어느덧 일상의 이 저녁노을은 나에게 '감사'가 되어 있었다.

다섯 번째 작가, 이영진

Instagram: @lyzmagic.academy

누구보다 에너지 넘치는, 또한 그 에너지가 가장 큰 장점
이라고 생각하는 사람입니다. 24년간 수천 번의 무대에 올
라 사람들 앞에서 즐거움과 행복을 선사하는 클래식 마술을
사랑하는 마술 공연자입니다.

떡잎

이번 세 번째 이야기는 나의 24년간 미술인생에서 다사다난 했던 수많은 에피소드 중 몇 가지만 이야기 해볼까 한다. 미술사는 중학교를 입학하며 시작했지만 미술을 처음으로 접한 건 아주 어렸을 적 유치원 입학하기 전부터 였던 걸로 기억한다.

사람들은 누구나 어렸을 적 기억을 가지고 회상하며 살아간다. 그 기억들 중 잊을 수 없었던 기억, 바로 명절 때마다 TV에서 방영하는 미술특집. 어렸을 때부터 한편도 거르지 않고 말똥한 눈망울로 TV앞에 쭈그려 앉아 지켜보았던 기억이 난다.

항상 프로그램 마지막엔 마술을 가르쳐 주는 시간이 있었는데, 마술 중 냅킨 위에 포크를 올려놓고 돌돌 말았다 다시 펼치면 숟가락으로 변하는 마술과, 빨대를 꼬아 빠지게 하는 마술, 고무줄 두 개가 서로 통과하는 마술 등등 여러 가지의 마술을 배워 혹여 잊지 않을까 수십, 수백 번 반복 연습을 했던 기억이 난다.

7살의 어린아이가 고사리 같은 손으로 며칠 동안 연습했고 그래서 인지, 지금 37세가 되고 나서도 잊지 않는 마술 중 하나가 되었다.

본격적으로 마술을 시작한 계기는 중학교 1학년 때였다. 사춘기, 자아 정체성의 위기가 온 나는, 가난한 삶 속에 먼 미래엔 그 누구보다 행복하고 성공하는 삶을 꿈꾸며 매일 뭘 하며 살아갈 수 있을까 라는 고민을 매일 생각해 왔다.

그러던 어느 날 꿈을 꾸었는데, 꿈속의 나는 아주 컴컴한 무대 옆, 나는 커튼에 서 있었고 무대 정 가운데엔 핀 조명 하나가 밝게 무대 중앙을 비추고 있었다. 나는 떨리는 마음으로 핀 조명 앞에 섰고, 수많은 그림자처럼 보이는 관객들이 나만 보며 박수를 치고 있었다. 초등학교 시절부터 소심하고 부끄러움이 많았던 나는 그 꿈이 잊을 수 없는 내 마음속 큰 감동이 되어 돌아왔다.

자리에 일어나 나는 거울속의 나를 보았다. 아니, 나의 얼굴을 관찰하였다. 웃긴 이야기지만 그 꿈을 꾸고 혹시나 내가 나중에 커서 영화배우가 되지 않을까 생각했던 나는 거울을 보며 영화배우를 일찌감치 포기하였다.

'중학생이면 학원 하나는 다녀야 하지 않느냐.' 했던 할머니의 말씀으로 동네에서 가장 저렴한 학원으로 몇 개월간 다녔더랬다.

그때 나를 가르쳐 주신 사회과목을 가르쳐 주시던 이미화 선생님, 알고 보니 이 선생님은 우리나라에 몇 명밖에 없는 여자 마술사셨다.

반 친구들의 시험 성적이 좋거나 숙제를 잘 해오면 우리를 위해 마술을 가끔씩 보여주시곤 했다. 마술의 꽃인 카드매직과, 신문지, 밧줄을 가지고 하는 로프매직 등등, 마술을 본 학원 친구들은 너무 신기하다며 마술 이야기에 꽃을 피웠고 나는 그 꽃이 내 가슴으로 들어와 열매를 맺고 씨를 뿌려 내 마음속 지지 않는 꽃으로 그 어떤 꽃보다 활짝 피어 있다. 지금도 이미화 선생님에게 감사한 마음이 가득하다.

호기심 왕자

고등학생 시절에는 이미 마술사로 활동하며 전국을 돌아다니고 여러 장소에서 마술공연을 했더랬다. 예술의 전당부터 중국 후진타오 주석의 초청으로 청소년 대표 마술사로 중국 순회공연도 다녀왔고, 또한 여러 방송 매체에서 나를 촬영하며 예능프로그램이나 다큐멘터리 방송에 출연해 잊지 못할 행복한 시간을 보냈다.

나의 체질은 그 자체로 가만히 못 있는 호기심 많은 어린 날의 연속이었다. 항상 어디를 가서 무엇을 보면 물건이든 사람이든 궁금한 것이 너무 많았고 궁금증을 풀어야 직성이 풀리는 성격이었다. 그래서 인지 내가 마술사를 하고 있는 이유도 이런 체질 때문 인지도 모르겠다.

그러던 중 기억에 남는 이야기는 바로 노숙 투어였다. 집에 가려 수원역 지하철 표를 끊으려 역 광장에 들어섰는데 수백 명의 노숙인 분들이 의자에 앉아 쉬고 있는 모습을 보았다. 평소 같았으면 그냥 피해 갔겠지만, 그날따라 나는 '저분들은 밖에 왜 나와 있으며, 숙식을 어떻게 해결하며 어떤 생각을 가지고 있을까' 라는 생각에 지하철 표를 사지 않고 표 값으로 근처 슈퍼에 가서 마실거리와 종이컵을 몇 개 샀다. 그러곤 수원역 앞에 노숙인들 여러 명이 둥글게 앉아 담소를 나누는 걸 보고 고등학생인 나는 옆자리에 털썩 앉아 이야기를 꺼냈다. 처음에는 나를 보고 경계의 눈빛으로 보시더니 종이컵을 드리며 음료를 돌리자 점점 나에 대한 경계심이 풀렸다.

나에 대한 질문들의 연속이었고 괜히 솔직하게 이야기하면 내쫓을까 봐 집에서 가출해 나와 혼자서 방황하는 가출 청소년처럼 연기했었다.

그분들과 수많은 이야기를 나누며 나는 충격적인 이야기를 많이 들었다. 사업에 실패해 여기까지 왔다는 이야기부터, 술에 의존해 횡설수설하며 들었던 이야기들까지.

정말 의외는 노숙인분 중 대부분은 자기 집이 있고 심지어 처자식이 있다는 것이었다. 그런데 왜 집에 가지 않고 여기에 있으시냐 라는 질문에 이 길거리가 좋고 집에 들어가서 고민해야 하는 모든 것들이 싫다는 이야기를 들었다.

그날 내가 느낀 것은 정말 많았다 '열악한 상황에 놓일지라도 정신만 잘 잡고 있다면 무슨 일이 있어도 일어나지 않은 듯 지나가는 것'이라고 생각했다. 우리는 언제나 좋던 싫던 부담스러운 상황을 마주하곤 한다. 이루어지지 않은 상황에도 두려움은 나의 턱 끝까지 밀려와 내 마음을 가두곤 한다.

우리는 그 어떤 상황 속에서도 마르지 않는 샘물처럼 온정과 행복이 가득한 사람이었으면 좋겠다.

적어도 우리네 마음이 내가 이야기 나누었던 어느 노숙인이 되질 않길 바라며.

여섯 번째 작가, 맺음

Instagram: @na_nyong_

글에는 그 사람이 묻어나오는 신기한 힘이 있습니다. 그래서 좋은 시 한 편을 읽으면 그 사람을 알아가는 순간으로 바뀌어 선물을 받은 것 같은 기분을 느끼게 합니다. 얼굴 없는 저의 글이 저라는 사람을 만나는 순간으로 바뀌어 작은 선물이 되기를 바랍니다.

짧고 빳빳한 까만 머리

작은 바다에 커다란 돌멩이를 옮겨 탑을 쌓아 올릴 때, 나의 숨을 멎게 만든 순간. 그 안에 빛나는 소원.

'나를 사랑하는 사람들에게 되돌려줄 수 있게 해주세요.'

빨간 열매와 푸르른 잎으로 온점을 찍어 마무리한 나의 소원은 오늘에서야 기억 속을 스쳐 지나간다.

'이렇게 되면 돌려줄 수가 없잖아.'

쿵 떨어지는 마음에 후드득 떨어지는 눈물이 나의 시야를 가려 기억을 흐리게 만들려고 하지만, 그러면 그럴수록 선명해지는 흙냄새와 돌의 촉감. 그리고 나를 내려다보는 너의 갈색 눈동자와 짧고 빳빳한 까만 머리.

너와 보낸 시간들은 향기 짙게 남은 4계절이었다.

그 모든 계절과 시간이 지났다. 화려하지만 어둡게 변하는 과정 속의 나는 꽤나 많은 것들을 흡수했다. 햇빛이 흘러넘치고 빗방울이 잔잔할 때 더 높이 자라는 잔디들처럼 나의 키도 조금씩 자라는 중이다.

때로는 울컥하고 넘어오는 감정들에 눈을 꼭 감았다. 바람을 잡아버려 파도를 치지 않게 하는 내가 참 매정하다는 생각이 들기도 했다. 나는 안다. 언젠가 해안가로 그득히 넘어올 뽀얀 파도들이 참으로 무섭다는 걸. 계절은 참으로 아름답지만, 아름다운 만큼 아픈 구석이 참 많다는 걸.

시간은 그것을 살살, 흐리게 색채를 지워주겠지.

뽀얗고 푸르고 녹진하고 구릿빛으로 강렬하고 스콰이어 빛으로 차갑게 남아 모든 것들이 참으로 선명하게 있던, 나와 너의 시간들은 점점 고스러진다.

本來

본래 순하디 순하게 태어난 네가, 거칠고 아픈 세상을 살아가기 위해 얼마나 발버둥 쳤는지를. 머리는 감싸고 몸은 둘둘 말아봤지만 결국 차디찬 물가에 내동댕이쳐질 수밖에 없었는지를 되돌아본다.

첫 만남이 거칠거칠했던지라, 나는 너에게 한 발자국 떨어져 걸을 수밖에 없었고 불쑥 들어온 손은 은근슬쩍 넘겨버렸다. 그러다 툭 튀어나온 말 한마디는 나를 끌어당겨 네 마음에 넣어버렸고 너와 내가 조금은 비슷한 사람이라는 것을 알게 해버렸다.

어쩌면 내 마음이 너에겐 무례한 마음이라 너는 눈썹을 잔뜩 찡그린 채 나를 불편한 얼굴로 바라볼 수 있겠다 싶었다.

그러다 뛰어가며 뒤를 돌아본 순간,
내 머리카락이 스쳐 앞을 흐리게 만든 순간,
너의 손이 양옆으로 흔들리며 인사를 건넨 순간,
여리고 찢어진 마음이 툭 튀어나온 순간.

순간 테이프 늘어지듯 시간이 늘어지며 너의 눈동자가 보인다. 찬찬히 들여다본 너의 눈에는 여리고 여린 어린아이가 들어있었다.

나는 그때 너를 만났고
작고 순하디 순한 너를 보았다.